W9-CYX-017

THOMAS
LE PETIT TRAIN

Hourra pour Thomas!

Thomas the Tank Engine & Friends™

CRÉÉ PAR BRITT ALLCROFT

D'après « The Railway Series » du Révérend W. Awdry.
© 2011 Gullane (Thomas) Limited.

Thomas the Tank Engine & Friends sont des marques de commerce de Gullane (Thomas) Limited
Thomas the Tank Engine & Friend & Design est une marque déposée auprès du U.S. Pat. & Tm. Off
HIT et le logo HIT Entertainment sont des marques déposées de HIT Entertainment Limited

www.thomasandfriends.com

2011 Produit et publié par Éditions Phidal inc.
5740, rue Ferrier, Montréal (Québec) Canada H4P 1M7
Tous droits réservés

Traduction : Céline Turcotte

Imprimé au Canada

Nous reconnaissons l'aide financière du gouvernement du Canada par l'entremise du Fonds du livre du Canada pour
nos activités d'édition. Phidal bénéficie de l'appui financier de la Société de développement des entreprises culturelles (SODEC).
Gouvernement du Québec – Programme de crédit d'impôt pour l'édition de livres – Gestion SODEC.

HOURRA POUR THOMAS!

C'est une journée spéciale sur l'île de Chicalor.

— Bonjour, dit Harold.

Annie et Clarabel débordent d'enfants heureux. Thomas doit les amener à la Journée annuelle du sport. Tout est prêt pour que débute la journée.

— J'espère bien être le meilleur et gagner une médaille,
dit un garçon.

— Ce doit être incroyable de gagner une médaille,
s'exclame Thomas. Après tout, je suis la locomotive n°1 !

Thomas travaille bien tout l'après-midi, mais il n'arrête pas de
penser aux médailles. Il s'imagine porter une médaille dorée sur un
joli ruban rouge. Il aurait l'air si chic !

— Bonjour, Thomas, siffle Percy. J'amène Sir Topham Hatt à la Journée annuelle du sport.

— Tu vas pouvoir voir la course à l'œuf ! s'exclame Thomas.

— Je ne savais pas que les œufs couraient.

— Ce sont les *enfants* qui courent avec un œuf dans une cuillère, explique Bertie.

— Et le gagnant remporte une médaille… J'aimerais bien en gagner une.

— Tu dois d'abord gagner la course ! dit Percy.

— Et si on faisait une course, Thomas ! Le premier arrivé
à la gare gagne !

    — Allons-y ! répond Thomas.

    — À vos marques, prêts, PARTEZ !

— Tu dois te dépêcher, Bertie ! dit Thomas.

Thomas doit bientôt s'arrêter pour prendre quelques passagers.

— Dépêche-toi, Thomas ! le taquine Bertie alors qu'il traverse le pont.

Puis, Bertie s'arrête à un passage à niveau.

— Le dernier arrivé ne vaut pas mieux qu'une charrette !
s'écrie Thomas.

Thomas arrive près de la gare.

En s'approchant du champ, un aiguilleur le fait arrêter.
Thomas est très mécontent. Bertie va sûrement gagner.

Il aperçoit ensuite Sir Topham Hatt.

— Thomas, j'ai oublié les médailles de la Journée annuelle du sport dans mon bureau. Tu dois aller les chercher immédiatement. On ne peut pas décevoir les enfants.

— Bien sûr, monsieur, répond Thomas avant de partir.

Pendant ce temps, Bertie arrive à la station.

— J'ai gagné ! s'exclame-t-il.

Et il attend patiemment Thomas. Et attend… et attend.

Thomas a cependant oublié la course. Il pense d'abord aux enfants.

— Je ne peux pas les décevoir… Je ne peux pas les décevoir.

Finalement, Thomas arrive à la gare principale. Le chef de gare donne la boîte de médailles au conducteur de Thomas.

Puis, Thomas repart.

Il arrive juste à temps.

— Beau travail, dit Sir Topham Hatt.

— Merci, monsieur, répond Thomas, haletant.

Sir Topham Hatt remet les médailles aux gagnants.

— Bravo !

— Merci, monsieur !

Le lendemain, Bertie et le gagnant arrivent avec une surprise
pour Thomas.

Un petit garçon lui tend une médaille dorée sur un ruban rouge.

— Tu t'es montré vraiment utile lors de la Journée annuelle
du sport.

— Alors, on a pensé que tu devrais avoir une médaille pour ton
travail, ajoute le garçon.

— Ma propre médaille ! s'exclame Thomas. Merci !

— Trois hourras pour Thomas, la locomotive n°1 !
Hip, hip, hip ! hourra !

— Mais j'ai tout de même gagné la course, ajoute Bertie.

Les locomotives sur la voie des montagnes sont excitées. Elles aident à construire une nouvelle voie.

Elles transporteront les visiteurs vers des endroits magnifiques de l'île de Chicalor.

Sir Topham Hatt apporte d'importantes nouvelles.

— La grande inauguration aura lieu cet après-midi. Je veux voir la nouvelle voie à partir des airs. Ma femme et moi arriverons à bord d'Harold l'Hélicoptère.

Barnabé arrive à cet instant.

— Tu es en retard pour ma grande annonce, lui reproche Sir Topham Hatt. Les locomotives vraiment utiles sont toujours à l'heure.

— Je suis désolé, monsieur.

Il y a cependant un problème au terrain d'aviation.

— Harold n'ira nulle part aujourd'hui, il a des problèmes de moteur, explique le pilote.

La femme du contrôleur est très contrariée.

— J'ai attendu la grande inauguration avec impatience toute la semaine.

— Et je trouverai une solution, ma chère, lui répond son mari.

Et il en trouve une.

— C'est une blague ! Tu veux que je monte là-dedans ?

— La direction du vent est parfaite. Nous y serons très bientôt.

La montgolfière s'élève dans les airs.

La montgolfière flotte calmement dans le ciel.

La femme du contrôleur s'amuse bien.

— La nouvelle voie est magnifique, s'exclame-t-elle.

— Merci, ma chère, répond Sir Topham Hatt.

Barnabé est irrité.

— Tout ce travail supplémentaire va me mettre à nouveau en retard.

Sur la voie, les travailleurs ramassent leurs échelles.

— Dépêchez-vous, s'impatiente Barnabé.

— Si Barnabé ne se dépêche pas, il sera encore en retard, soupire Sir Topham Hatt.

Toutes les locomotives sont prêtes pour la grande inauguration.
— Où est Barnabé ? demande Rusty.
— Il a promis d'être à l'heure, disent Peter et Sam.
Finalement, Barnabé peut se mettre en chemin.

Survient ensuite un problème. La flamme de la montgolfière s'éteint soudainement. L'air dans le ballon se refroidit et la montgolfière se met à chuter.

— Accrochez-vous ! hurle le pilote.

— Je veux descendre, exige la femme du contrôleur.

— Pas maintenant, chérie, répond Sir Topham Hatt.

— La montgolfière va s'écraser dans l'arbre ! s'écrie Barnabé.

Et la montgolfière s'écrase devant Barnabé.

— Voilà Sir Topham Hatt.

— Mon chapeau est abîmé, se plaint la femme du contrôleur.

— Le mien aussi, dit son mari.

— Ne vous en faites pas ! s'écrie le conducteur de Barnabé.
Nous allons vous descendre bientôt.

— Je suis content de te voir, Barnabé !

— Merci, monsieur.

Il faut peu de temps pour que Sir Topham Hatt et sa femme
touchent le sol sains et saufs. Ils embarquent ensuite dans la voiture
couverte de Barnabé avant de reprendre la route.

Tout le monde attend pendant que Barnabé transporte ces passagers importants pour la grande inauguration.

Sir Topham Hatt déclare ouverte la nouvelle voie.

— Avec un remerciement spécial pour Barnabé qui nous a aidés à nous rendre ici, ajoute-t-il.

— Tu es tout de même arrivé en retard, le taquine Rusty.

— Je sais, répond Barnabé. Mais c'est mon retard qui a permis à Sir Topham Hatt d'être à l'heure !